गुमशुदा जिंदगी

BY

विवेक शैलार

ISBN 978-93-5458-181-6

Published in India 2021 by Pencil

A brand of

One Point Six Technologies Pvt. Ltd.

123, Building J2, Shram Seva Premises,

Wadala Truck Terminal, Wadala (E)

Mumbai 400037, Maharashtra, INDIA

E connect@thepencilapp.com

W www.thepencilapp.com

AUTHOR BIOGRAPHY

विवेक शैलार का जन्म मध्यप्रदेश के बुंदेलखंड में स्थित जिला दमोह में २५-जनवरी- १९८० को एक साधारण परिवार में हुआ था उनके पिता श्रीमान प्रताप नारायण शैलार सरकारी दफ्तर में लिपिक के पद पर कार्यरत थे और माताश्री का नाम प्रीती शेलार था जो की एक गृहणी थी।

विवेक जी को बचपन से ही कवितायेँ लिखने का शौक था किन्तु रोज़ी रोटी की उहापोह में वे कभी सार्वजानिक मंच पर अपनी कविताओं का मंचन नहीं कर सके क्युकी न तो इस सबके लिए उन्हें परिवार से प्रोत्साहन मिला और न ही जीवन में बदकिस्मती से उन्हें ऐसा कोई सुअवसर प्राप्त हो सका जिसके बल पर उन्हें अपनी प्रतिभा को दिखने का अवसर मिला हो।

उन्होंने M.sc. तक पढाई दमोह के ज्ञानचंद्र श्रीवास्तव विश्विधालय से की तदुपरांत वे जबलपुर बी.एड करने के लिए आ गए। पैसों की तंगी और आभाव के कारण उन्हें एक फार्मा कं पनी में नौकरी करनी पड़ी और यही जद्दोजहद उनकी ज़िन्दगी जैसे तैंसे चलती रही।

CONTENTS

Introduction 08

खोल दाता द्वार मन के 09

नए साल की नई सुबह का स्वागत करते है 11

दीये जलाये हमने जब भी 13

प्रेमधुन 15

देश अब न कर सहन. 18

हम रोये खूब जब जुदा हुए 20

जिंदगी कुछ यूँ गुमशुदा सी लगती है 21

कभी काम की नहीं बेकार ही बात करो 23

तुमसे मिला तो कुछ हो गया 25

जा रे जा ओ बेवफा 27

कौन दोषी 29

रहने दो अभी दौरे गमजदा मेरा बाकी 31

अच्छी मेरी आवारागर्दी 33

किसी खंजर की तरह तू 34

खुशी के दरमियान जो गुजरे हम 35

हम थे तनहा मगर इतने भी नहीं तेरे आने से पहले 37

तुम्हारी याद में सब काम धाम भूल बैठे है 38

टूटे हुए गुलदान में कागज के फूलों की तरह।.......................................39
मोहब्बत हुई जो तो बेजुबां हुए हम.......................................40
मेरे दिल में उदासी और आंखों में नमी सी है.......................................41
पतझड़ भी आते रहे जाते रहे.......................................42
आज जाने क्यू किसी को प्यार हमसे हो गया.......................................43
हम तो प्यार को निकले थे ढूंढने यारो.......................................44
उगते हुए सूरज को सलामी जो देती है 45
देखो अभी गुजरते हैं, पर मंज़िल का कुछ पता नहीं 48
जब करूँगा याद क्या तुम आओगे.......................................50
रोज़ बहुत चलता हूँ.......................................51
ये वक्त हर इक मोड़ पे.......................................53
क्या इसी को लोग कहते है प्यार 55
तुझसे गिला रहने दूँ.......................................57
ये साल भी गुजर गया 59
कौन से मंदिर में जाऊ.......................................60
भीड़ में भी क्यों अकेलापन नही जाता.......................................62
आज की रात भी बस यूं ही गुजर जाएगी.......................................63
हर एक सुबह जब आती है 64
न हर्ष है न शोक है 65
वो शराब जिसके थे प्यासे, हम कई सदियों से.......................................66
दिल में होली जल रही है 67

आजकल तेरी यादों का..68

चूक न जायें, सवेरा देखने से वो 70

यूं तो आने की तुम्हारे पहले से सुगबुगाहट थी...71

तेरे होंठों की लाली से..73

कब तलक देश रोता बैठे निर्णय करना होगा 75

INTRODUCTION

विवेक शैलार एक ऐसे कवि हैं जिन्होंने अनेकानेक कवितायें लिखीं और उन्होंने कविता लिखना बचपन से ही आरम्भ कर दिया था।

किन्तु उन्हें अपनी कविताओं के प्रकाशन हेतु लम्बा इंतज़ार करना पड़ा जो की आज पेंसिल पब्लिकेशन के कारण संभव हो पा रहा है।

ये कवितायें न सिर्फ संघर्ष की प्रेरणा देती हैं, बल्कि दर्द और उदासी से भरे मन को सुकून के अहसास तक ले जाती हैं।

कहीं सच्चाई का अहसास करवाती हैं, तो कहीं उम्मीद और उत्साह भर देती हैं।

कहीं देश प्रेम की भावना से जज्बातों में उबाल ला देती हे|

तो कही ज़माने भर को चुनौती देती हैं।

उम्मीद करता हूँ की पाठकगण इन्हे पढ़कर न सिर्फ एक नए जोश से सराबोर हो जायेंगे, बल्कि ख्यालों और विचारों के एक नए जगत में प्रवेश उनकी कल्पना को जीवन के उच्चतम शिखर तक ले जायेगा।

इन्ही भावनाओं के साथ।

आपका

विवेक शैलार

MB- 9893312811.

email id :- vivek123shelar@gmail.com

खोल दाता द्वार मन के

खोल दाता द्वार मन के,

दूर कर अज्ञान।

स्वस्थ्य तन, मन हो प्रकाशित,

ह्रदय भर दे ज्ञान।

खोल दाता द्वार मन के,

दूर कर अज्ञान।।

सिंह सा साहस जगा दो,

हो कभी भयभीत न हम।

पर्वतो से हों इरादे,

मंज़िलो को जीत ले हम।

सत्य की राहे न छोड़ें,

कुछ भी हो अंजाम।

खोल दाता द्वार मन के ,

दूर कर अज्ञान।।

प्रेम का दीपक जला दो,

दूर हो गम के अँधेरे।

रात चाहे हो घनेरी,

खींच लाएं हम सवेरे।।

करें ऐसा काम कुछ की,

जग में गूंजे नाम।

खोल दाता द्वार मन के.

दूर कर अज्ञान।।

स्वस्थ्य तन, मन हो प्रकाशित,

ह्रदय भर दे ज्ञान।

खोल दाता द्वार मन के.....||||

नए साल की नई सुबह का स्वागत करते है

चलो सूखती टहनियों को

फिर पानी देते है

चिड़ियों को दाना,

चीटी को शक्कर देके

नए साल की नई सुबह का स्वागत करते है ||

एक गाय को रोटी देकर,

कुछ कु त्तो की भूख मिटाकर

किसी जरूरतमंद को

कुछ कपडे देकर

नए साल की नयी सुबह का स्वागत करते हैं।|

घर के कुछ कोनो की

थोड़ी धूल झड़ाकर

कुछ पुरानी चीज़ों को

घिसकर चमकाकर

घर के दरवाज़ों पे

थोड़े फूल सजाकर

नए साल की नयी सुबह का स्वागत करते है।|

कुछ भूले बिसरे लोगो को

फ़ोन लगाकर

बीती बातो की कड़वाहट

को भुलाकर

एक नया रिश्ता बुनने की

कोशिश करते है

नए साल की नयी सुबह का स्वागत करते है ||

पूरा दमखम, पूरी तैयारी करते है

पूरी कोशिश कुछ पाने की

फिर करते है

नयी उमंगो नयी तरंगों नए ढंगों से

नए साल को नए रंगों से

फिर भरते है।

नये साल की, नयी सुबह का स्वागत करते है।|

दीये जलाये हमने जब भी

दीये जलाये हमने जब भी,

हाँथ भी जल गये

जो बोला सच, न जाने लफ़्ज़

क्यों खंजर में ढल गये॥

न थे शोला, न दिया,

चाँद, न तारा हम तो

जाने किस बात पे, कुछ लोग,

हमसे क्यों जल गये॥

अपने गर्दिश में सितारे थे,

नसीबो में ठोकरें।

गिरे बहुत मगर,

गिरके फिर सम्हल गये॥

तुम चलो, या रुको,

ये फिक्र कहाँ दुनिया को

बदलो, न बदलो तुम,

पर ज़माने बदल गये॥

दीये जलाये हमने जब भी,

हाँथ भी जल गये।

जो बोला सच, न जाने लफ़्ज़

क्यों खंजर में ढल गये।।

प्रेमधुन

प्रेमधुन लगी है तेरी

मुझको जानेमन ओ मेरी

आजा करले कुछ तो

बाते प्यार की |

फिर कभी न आयेंगे ये दिन

कभी न आयेंगी ये रातें फिर

कभी हां इंतजार की

प्रेमधुन लगी है तेरी

मुझको जानेमन ओ मेरी

आजा करले कुछ तो

बाते प्यार की |

फिर कभी न आएगा

ये मौसम ए बहार

फिर कभी न हो सकेगा

हमको तुमको प्यार

फिर कभी न गाएगी

ये झुमके जमीं

फिर कभी चमन में गुल

खिलेंगे न हजार

प्रेमधुन लगी है तेरी

मुझको जानेमन ओ मेरी

आजा करले कुछ तो

बाते प्यार की |

जिंदगी दो चार दिन की

बस है चाँदनी

खिलखिला के हंस रही है

देखो रागिनी

जो मिले हैं दिन

गुजर न जाएं वो कहीं

आजा खुल के जी लें

सारे पल ये हमनशी

प्रेमधुन लगी है तेरी

मुझको जानेमन ओ मेरी

आजा करले कु छ तो

बाते प्यार की |

दिल तड़प के नाम

तेरा लेता है सनम!

एक बार नजर उठा के

देखो कम से कम

कदमों पे तुम्हारे

जान रखदे हम अभी

छोड़ेंगे न साथ तेरा

हम जनम-जनम

प्रेमधुन लगी है तेरी!

मुझको जानेमन ओ मेरी

आजा करले कुछ तो बाते प्यार की |||

देश अब न कर सहन.

हो गया मुश्किल बहुत बर्दाश्त

अब न कर सहन

सर तलक पानी पहुँच बैठा,

अब न कर सहन ||

कितने सीने गोलियाँ

खाते रहेंगे रोज़-रोज़

कब तलक हम शीश

कटवाते रहेंगे रोज़-रोज़

एक काटे कोई तो

दस शीश अब तू काट दे

हो निडर, निर्भय, निरंकुश देश,

अब न कर सहन ||

शहीदों के बच्चो को

रोता बिलखता छोड़कर

नरम बिस्तर पे तू

चैन के कम्बलो को ओढ़कर

कब तलक सोता रहेगा देश

अब तू ये बता

खून ख़ौला, चीर दे छाती

अब न कर सहन ||

रोयेगा इतिहास तेरे

कायराना ढंग पे

हंसेगा जग हिन्द पे

तेरी भीरुता के रंग पे

जोड़ साहस, कर प्रहार

अब आँख में शोले जला

फूंकने अब दुश्मनो को हो तैयार

अब न कर सहन ||

हम रोये खूब जब जुदा हुए

हम रोये खूब, जब जुदा हुए
यादों के खंजर सह- सह कर

न रुके बहुत रोका हमने
गिरे आंख से आंसू बह- बह कर !

जब तलक बहार रही तुमने
क्या खूब लगाया दामन से

पतझड़ आते यूं छोड़ दिया
गिरें पेड़ से पत्ते झर-झर कर !

माना ऐ रंगमहल वाली
दुनिया पैसों से चलती हे

लेकिन ये रंग, रूप, दौलत
धीरे-धीरे पर ढलती हे

वो हाथ छुड़ा कर चले गए
हम रहे देखते रुक रुक कर !

वो हँसे खूब, जब जुदा हुए
मेरी मज़बूरी, हालातों पर

हम रोये खूब, जब जुदा हुए
यादों के खंजर सह-सह कर !

जिंदगी कुछ यूँ गुमशुदा सी लगती है

जिंदगी कुछ यूँ
गुमशुदा सी लगती है

मेरी होकर भी कुछ
मुझसे खफा सी लगती है !

मेरे हमदम मुझे
इतनी सी मोहब्बत दे दे

हर एक चीज मुझे दुनिया में
बेवफा सी लगती है !

बहार आएगी तो ये
फूल भी खिल जाएंगे

सूखी शाखो पे
हरे पत्ते नजर आएंगे

तू न होगी तो नहीं होगी
हसीन शाम ओ शहर

सूखे सेहरा में तू
काली घटा सी लगती है

ज़िन्दगी कुछ यूँ
गुमशुदा सी लगती है !

मुझे नज़रों से पिला,

मय (शराब) से में तौबा कर लूं

तेरे गम से में अपनी

खुशियों का सौदा कर लूं

अब मुझे गम से न लेना

न खुशी से देना

कटी पतंग सा में

तू हवा सी लगती है !

ज़िन्दगी कुछ यूँ

गुमशुदा सी लगती है

मेरी होकर भी कुछ

मुझसे खफा सी लगती है !

कभी काम की नहीं बेकार ही बात करो

कभी काम की नहीं

बेकार ही बात करो

बात न हो अगर

बात बढ़ाने के लिए ही बात करो !

नजर मिलाके कभी

कभी नजर घुमाकर बात करो

अश्के नम तो, कभी

मुस्कुराके बात करो !

कभी भूल जाऊ,

तो याद दिलाने के लिए बात करो

रूठ भी जाए तो

मनाने के लिए बात करो !

गली न आए तेरी

तो हमे बुलाके बात करो !

मेरे कूचे में आओ

मेरे घर आके बात करो !

न दिखे हम तो, कभी
इससे कभी उससे ही पूछो

क्या मेरा हाल है
ये देखते जाने ही बात करो !

अगर शिकवा जो हो हमसे,
तो गिले दिल में न रखना

जो कहना हो वो कह देना
बेरुखी ही से बात करो !

तुमसे मिला तो कुछ हो गया

तुमसे मिला तो कुछ हो गया

तुमसे मिला तो मेरी जाना

तनहा मैं अब तक था मगर

प्यार से था मैं अनजाना !

तुमसे मिला तो आहा

तुमसे मिला तो एहे

तुमसे मिला तो ना ना

तुमसे मिला तो अं हूं

तुमसे मिला तो कुछ हो गया.... आ आ आ

तुमसे मिला तो कुछ हो गया

तुमसे मिला तो मेरी जा....ना....!

गलियों में छाई थी

कितनी उदासी सी

लगती थीं ख़ुशियाँ

गम की सताई सी

तुम मेरे अपने हो

या कोई सपने हो

में हो गया हूं दीवाना....!

तुमसे मिला तो कुछ हो गया

तुमसे मिला तो मेरी जाना..!

साथ हो मेरे तुम

साथ न छोड़ना

दिल में रहके कभी

दिल को न तोड़ना

मै तो मर जाऊं गा

मैं न रह पाऊंगा

में हूं शमा का परवाना....!

तुमसे मिला तो कुछ हो गया।

तुमसे मिला तो मेरी जाना...!!!

जा रे जा ओ बेवफा

जा रे जा ओ बेवफा
तेरी नहीं कु छ खता
कैसे कहूं ये बता
कितनी है दिल में वफा
जा रे जा ओ बेवफा
तेरी नहीं कुछ खता......!

लेके जान मेरी छोड़ेगी
आज तेरी रुसवाई
सोचा जो तेरे बारे में तो
आंख मेरी भर आईं
आजा न यू दूर जा
आजा न यू दूर जा
कैसे कहूं ये बता
कितनी है दिल में वफा
जा रे जा ओ बेवफा
तेरी नहीं कुछ खता....!

हारा में समझाके
सबको बता बता के
कु छ भी न समझा जमाना

अब तो सहा न जाए

तुझ बिन रहा न जाए

ऐसे न मुझको सताना

बाहों में आ डूब जा

बाहों में आ डूब जा

कैसे कहूं ये बता

कितनी है दिल में वफा

जा रे जा ओ बेवफा

तेरी नहीं कु छ खता....!

कौन दोषी

कौन दोषी, जुर्म किसका,

कौन जिम्मेदार है

गैर पे उंगली उठाना

दोस्तो बेकार है !

चलो सारे मसलो को

कु छ इस तरह से हल करें

शिकायतों को छोड़कर,

कोई नई पहल शुरू करें

गलती किसकी, और सज़ा का

कौन जो हक़दार है।

गैर पे उंगली उठाना

दोस्तों बेकार है !

अपने ही पहलू में ढूढें,

आस्तीन के सांप को

आईने के सामने हम तौले

अपने आप को

क्या बुराई, खामियां

मिलती जो हमको हार है

गैर पे उंगली उठाना

दोस्तो बेकार है !

हौसलों की कुछ उड़ाने,

जोश का एक घुठ पी

सोच मत कुछ कर गुज़र

यही घुट्टी जीत की

हालातों पे तोहमतें क्यों

खुद कुसुरेवार है

गैर पे उंगली उठाना

दोस्तो बेकार है !

रहने दो अभी दौरे गमजदा मेरा बाकी

रहने दो अभी, दौरे

गमजदा मेरा बाकी

कुछ और देर दिल

खोल के रो लेने दो !

सुनते है कि इस साल भी

होगी नहीं बारिश

फिर फुट के दिले बेज़ार को

रो लेने दो !

सब कोशिशें नाकाम

और सब हसरतें नाकाम

ये सोच के इक बार तो

रो लेने दो !

वो हंस रहे है इस तरह

मुंह फेर कर मुझपे

हम सह चुके हद तक

मुझे रो लेने दो !

कहते है उनकी पलको की

अश्कों से है यारी

यारी निभाने को ही

अब रो लेने दो !

अच्छी मेरी आवारागर्दी

अच्छी मेरी आवारागर्दी
है तेरे दर से

एहसान तो नहीं तेरा
कमसेकम मेरे सर पे !

ये गलियां, ये कूचे,
ये भीड़, मेले और बाज़ार

हम फाख्ता नशिनो को
है प्यारे तेरे घर से !

हमदम, न हंसी यार
न मेहबूब न सनम

तन्हा गुजर रहा है
जिंदगी का सफर ये !

ये फूल, ये खुशबू,
ये मौसम ये रंग ए बहार

संवरा न चमन दिल का
बस एक बार उजड़ के !

किसी खंजर की तरह तू

दिल में उतर गया,

किसी खंजर की तरह तू

आंखो में बस गया,

किसी मंज़र की तरह तू !

आंधी की फ़िक्र है न

तूफान की कुछ खबर

मेरे सर पे है सवार

किसी जुनू की तरह तू !

माना ये रंजो गम से भरी

है अंधेरी रात

रौशन है सौ चराग

जहां बस गया है तू..!!

खुशी के दरमियान जो गुजरे हम

खुशी के दरमियान जो गुजरे हम

तो खुशी भी रो पड़ी

दर्द का जनाजा लिए हुए

मंज़िल पे पहुंचे हम

तो मंज़िल भी रो पड़ी

तो मंज़िल भी रो पड़ी

खुशी के दरमियान जो गुजरे हम !

सोचा था खींच लाएंगे

उठा लेंगे, ज़िन्दगी का बोझ हम

मर मर के जीते देखा जो हमे

तो जिंदगी भी रो पड़ी

खुशी के दरमियान जो गुजरे हम !

सायों को समझा हमसफ़र

कोई हमसफ़र न था

की मुस्कराने से पहले

कोई आंसू नजर में था

देखा जो जख्मों का मंज़र

तो राहें भी रो पड़ी

खुशी के दरमियान जो गुजरे हम !

हम थे तनहा मगर इतने भी नहीं तेरे आने से पहले

हम थे तनहा मगर

इतने भी नहीं तेरे आने से पहले

हम थे रुसवा मगर

इतने भी नहीं तेरे आने से पहले !

था अफ़सोस कई बातों का

की ये न मिला, वो खो गया

मगर न रोये थे इतने

तेरे आने से पहले !

गिरे अब तो, सम्हलने का

सलीका, भूल बैठे है

रोज़ गिरके सम्हलते थे

वरना तेरे आने से पहले !

गली उसकी न तेरा रास्ता

न मंज़िल की खबर है

हर रास्ता मंज़िल था वरना

तेरे आने से पहले !

तुम्हारी याद में सब काम धाम भूल बैठे है

तुम्हारी याद में

सब काम धाम भूल बैठे है

की इतना याद करते है

नाम अपना भूल बैठे है !

कभी तस्वीर से आओ तो बाहर

बात करनी है

तुम्हारे संग गुज़ारा एक अपनी

रात करनी है !

कई दिन से है अपनी एक अर्ज़ी

तुमसे बे आदिल

करो मंज़ूर तो तेरे नाम अपनी

जान करनी है !

बहुत देखा है आये कई

और कई गए यू ही

तुम्हारी बात ही कुछ और हे

यही बात करनी है !

टूटे हुए गुलदान में कागज के फूलों की तरह।

टूटे हुए गुलदान में,

कागज के फूलों की तरह

अपने दिल में सजा लेते है हम

यादों को बबुलों की तरह !

मोहब्बत के हर एक ज़ख्म को

कुरेदो न "जहर"

खून गिरता है अपना अश्क की

धारो की तरह !

तुमने तो अपनी दुनिया

बसा ली जहां चाही

हम घर को तरसते है

मुसाफिर की तरह !

सोते है चैन से वो

बांहों में किसी की

हम ठंड में ठिठुरते हुए

बेघर की तरह !

मोहब्बत हुई जो तो बेजुबां हुए हम

सोच में अंगार थे, ज़ुबां से बेबाक थे

मोहब्बत हुई जो, तो बेजुबां हुए हम।

हवस से भरे थे, ख्याल अपने दिल के।

मोहब्बत हुई जो, खुद को भूल गए हम।

हंसते थे गैरों के गम पे जो कल तक।

तेरी आंखो में देखा तो डूब गए हम।

बनाते थे सबका तमाशा जो यारो।

मोहब्बत जो की तो तमाशा हुए हम।।

मेरे दिल में उदासी और आंखों में नमी सी है

मेरे दिल में उदासी, और आंखों में नमी सी है
महफ़िल में सभी है, फिर भी क्यों तेरी कमी सी है

बहारो अब बरस जाओ, कहीं मर जाऊ न प्यासा
पिघलने दो बरफ अब, मुद्दतो से जो जमी सी है

गजब करते हो, दिल को तोड़ते हो सौ दफा मेरे
तू जबसे दूर मुझसे, तबसे ये सांसे थमी सी है..॥

पतझड़ भी आते रहे जाते रहे

पतझड़ भी आते रहे, जाते रहे
हम बाग़ को सींचते रहे, गुल खिलाते रहे

हम भी जिद पर थे, चिराग़ न बुझने देंगे
हवा बुझाती रही, फिर से हम जलाते रहे

मंज़िल भी दूर रहती तो, आखिर भला कब तक।
वो जाती रही दूर, हम पास आते गए

मुद्दत से उनका ज़िक्र तक, होठो से न किया
यादों के कारवां दिल मे सजाते रहे

कितनी तपिश है, राहो में इन कामयाबी की
जब हम चले तो पाँव में छाले आते रहे

पतझड़ भी आते रहे जाते रहे
हम बाग़ को सींचते रहे गुल खिलाते रहे

आज जाने क्यू किसी को प्यार हमसे हो गया

आज जाने क्यू किसी को प्यार हमसे हो गया
एक बादल आज हमसे यू लिपट के रो गया

उम्मीद ए मायूस थे हम कु छ दिनों से दोस्तो
एक झोंका सांस बनके मेरे दिल में खो गया

जिंदगी न इस कदर थी खूबसरत दोस्तो
वो जो आया खुश्क मौसम सुर्ख दामन हो गया

छोड़ भी दो अब खलिश में दिल से उनका भी खयाल
तू भी किसी का होजा अब वो भी किसी का हो गया

हम तो प्यार को निकले थे ढूंढने यारो

हम तो प्यार को निकले थे ढूंढने यारो

जो भी पाया वो हर एक शख्स बेवफा निकला

हमसे न पूछिए बेहालियों का सबब क्या है।

गलत कभी ये वक्त, कभी फैसला निकला

ना आया लौटकर वो, में कहता रहा रुक,

मेरी एक बात तो सुन

वो गए वक्त की तरह, जो रूठकर निकला

न बुझी प्यास, तड़पते रहे ताउम्र क्युकी।

जिसे समझे थे हम दरिया, वो समंदर निकला

उगते हुए सूरज को सलामी जो देती है

उगते हुए सूरज को

सलामी जो देती है

ऐसी दुनिया की रवायत की

तू परवाह न कर

रुलाती जिंदो को मुर्दों को

जो सम्मान देती है

ऐसे बेगैरत ए जहान कि

परवाह न कर

लगाले खुदसे दिल जो प्यार

तुझे मिल न सके

किसी इजहार ए मोहब्बत का

इंतजार न कर

लड़ाले इश्क रस्तों से

कहीं खो जाए जो मंज़िल

हाथ पे हाथ धरे खुद को

यू लाचार न कर

माना हर शख्स यहां

झूठ का ओढ़े है नकाब

झूठी दुनिया के रंग में

खुद को गिरफ्तार न कर

मुश्किलें मांगती है

तुझसे तेरा खून पसीन

हार के डर से तू लड़ने से

यू इनकार न कर

नसों में लोहा भर की

आग में तपना है तुझे

ये इम्तहान की घड़ी है

यू नजरअंदाज न कर

कभी आंधी से न तुफां से

तू डिग पाएगा

अभय है तू डर का ऐलान

सरे बाज़ार न कर

चाहे तो तोड़ ले तारे ये

सारे अंबर के

पर निराश होके तू यू
खुद को शर्मशार न कर

तेरे पैरों के निशान देंगे
नई मंज़िल का पता

बना बिगड़ी हुई तकदीर
खुद को ज़ार ज़ार न कर

देखो अभी गुजरते हैं,
पर मंज़िल का कुछ पता नहीं

देखो अभी गुजरते हैं
पर मंज़िल का कुछ पता नहीं

रस्ते भी अनजान है और
कहां पहुचेंगे कुछ पता नही !

कुछ मुश्किल से ही चलने को
तैयार हुआ बस ये जानो

यू थककर बैठ चुका हूं कि
एक कदम कठिन लागे मानो !

अब जिस मंज़िल का पता नहीं
उस तक जाऊं तो किस कारण

मंज़िल को पाने की खातिर
कहीं भटक न जाऊं पता नहीं !

किस ओर चलू, किससे पूछूं
न दिशा दिखाई देती है

गिरता ही जाता उठने की
न दशा दिखाई देती है !

इस अंधकार की छाया को
चाहूं तो कै से तोड़ू मै

मै सूर्य ढूंडने निकला हूं
और चिता दिखाई देती है !

लगता है मेरा सफर ख़तम
आरंभ से पहले हो बैठा

जो भी पाया अब तक मैंने
बस एक भूल से खो बैठा !

इच्छाओं के सांपों ने
यू जकड़ लिया मेरा दामन

मै बन पाऊंगा चंदन या
मृत्यु पाऊंगा पता नहीं !!

जब करूँगा याद क्या तुम आओगे

उदासी की जब घटा छाने लगे
आँख छलके मोती बरसाने लगे

क्या मुझे विश्वास ये दे पाओगे?
जब करूँगा याद क्या तुम आओगे?

ज़िन्दगी जब बोझ ये बन जाएगी
एक सिसकी होंठ पे रह जायेगी

हौसला क्या फिर जगाने आओगे?
जब करूँगा याद क्या तुम आओगे?

जब अकेला राह में हो जाऊं गा।
भीड़ में जब खुद को भी न पाऊंगा

मोड़ पे तुम छोड़के न जाओगे?
जब करूँगा याद क्या तुम आओगे?

छोड़ दे जब बाँकपन मेरा मुझे
तोड़ दे जब वक्त का तूफां मुझे
जब तड़पकर देखूं में तेरी तरफ

क्या सहारा बाँह का दे पाओगे?
जब करूँगा याद क्या तुम आओगे?

रोज़ बहुत चलता हूँ

सोता हूँ, उठता हूँ

आंखों को मलता हूँ

सूरज सा उगता हूँ, ढलता हूँ

रोज़ बहुत चलता हूँ!

रेले है, मेले है

भीड़ है बाज़ारों में

फिर भी अकेले है

लोग है हज़ारो में

अंधकार तोड़ने को

दीपक सा जलता हूँ

रोज़ बहुत चलता हूं!

कं कर है, कांटे है

पथरीली राहे है

गले से लगाये कौन

अनजानी बाहें है

घायल मन, लेके में

रोज़ ही निकलता हूँ

रोज़ बहुत चलता हूँ !

चेहरे पे धूल जमी,

माथे पे पसीना है

जो पाया मेहनत से,

किस्मत ने छीना है

किस्मत से लड़के में

गिरता सम्हलता हूँ

रोज़ बहुत चलता हूं !!

ये वक़्त हर इक मोड़ पे

ये वक़्त हर इक मोड़ पे मुझे
इक जख्म नया देता रहा
हर लम्हा मुझे तोड़कर
इक इम्तहान लेता रहा

ये वक़्त हर इक मोड़ पे मुझे
इक जख्म नया देता रहा !!
मंजिलों की चाहतों में
क्या – क्या न कर गुजर गए

हम जिसको छोड़ आए
उम्र भर आवाज देता रहा
ये वक़्त हर इक मोड़ पे मुझे
इक जख्म नया देता रहा !

ऊंचे खयाल थे और
हम भी थे बड़े कमाल के
जब भी दिए जवाब
वक़्त इक सवाल देता रहा

ये वक़्त हर इक मोड़ पे मुझे
इक जख्म नया देता रहा !

हमने टूट – टूटकर

टुकड़ों को दिल के जोड़ा है

अब है उदास रात

दिन भी हां निराश थोड़ा है

हर भंवर में, हौसलों की

नाव मन ये खेता रहा

ये वक्त हर इक मोड़ पे मुझे

इक जख्म नया देता रहा !!

क्या इसी को लोग कहते है प्यार

गलियों से गुजरता हूँ
तेरी में क्यों बार बार
देखना तुझे चाहूँ क्यों
हर पल में तुझे यार

बताओ तो जादू
क्या कर डाला
तूने मुझपे मेरे यार
क्या इसी को

लोग कहते है प्यार !
तुझपे हूँ
खोया खोया सा
दिन में भी

सोया सोया सा
कबसे खड़ा हूँ यहाँ
तू न जाने है कहाँ
बेखबर तू है और में

करूँ तेरा इंतज़ार
क्या इसी को

लोग कहते है प्यार !

कर न सकूँ तो

मुझे इश्क़ तू ही सिखा दे
तू मुझको चाहेगा
या भूल बैठा बतादे
हम तो बेगाने से

पागल दीवाने से
तुझपे ही मरने लगे है
अपनों से गैरों से
सारे ज़माने से

बेवजह लड़ने लगे है
तुझसे ही मिलने को
दिल है बेक़रार
क्या इसी को

लोग कहते है प्यार !

तुझसे गिला रहने दूँ

ज़िन्दगी सोचता हूं

तुझसे गिला रहने दूँ

बीमार रहने दू खुदको

ओ दवा रहने दूँ!

अपने कांधो पे उठा लू

तेरा हर रंजो गम

ख्वाब टूटे

नाकाम हसरते भी रहने दूँ!

न बदलू खुद

जो है जैसा उसे भी रहने दूँ!

जहा रक्खा है जो सामान

उसे रहने दूँ!

सारी दुनिया का जैसा

कारोबार चलता है

न सोचूँ कुछ

ये सारी फिक्र यार रहने दूँ!

मेरे दिल से ये

आवाज़ कैसी आती है

कहे ख़ुदा या की

शैतान उसे रहने दूँ!

ज़िन्दगी खुशियों के प्याले दे

या गमो की शराब

अपने होठों से लगा लूँ या रहने दूँ!

ये साल भी गुजर गया

किसी सुबह का इंतजार,
किसी शाम की तलाश में,

ये साल भी गुजर गया
कभी आस - कभी काश में

सोये ही न थे कभी,
तो जागते भी कैसे हम,

नींद भी न आई और,
रहे स्वप्न की तलाश में !!

वो नजर न मिल सकी,
हमें जिसका इंतजार था,

हम पीछे ही खड़े रहे,
बस इश्क की कतार में !!

वाह! क्या चमकते हैं,
ये अश्क अपनी आंख में,

रौशन कोई चिराग जैसे
हो किसी मजार में !!

कौन से मंदिर में जाऊ

कौन से मंदिर में जाऊ,
की जहा मिल जाये मुझको,
देवता, यक्ष, या भगवान जिनसे

में व्यथा को, या कथा को वेदना मन की सुनाऊ
और पाउ हल वो जिसमे हर समस्या का निवारण

जहाँ जाता हूं वही मूरत, कही पत्थर,
कही गिरजे मज़ारे ही मिली
या मिले काबे, कलीसा,
या कुछ किताबें ही मिली

कौन से दर पे में जाऊ
की जहा पा जाउ वो राहत की
जिसके बाद कुछ रहता नही है मांगने को

कौन से तीरथ में जाउ

की जहाँ पा जाए मन आनंद या मिल जाये परमानंद
या की शांति की लहरें हिलोरे मारने मन मे लगे

जहाँ जाता हूं वही बस तन थका ये, मन थका ये,
और जब पाया तो बस आवारगी को

कौन सा में गीत गाउ

कोई कहता मंत्र बोलो

कोई कहता तंत्र सीखो

योग प्राणायाम सारे यम नियम

भी पाल कर है देख डाले।

शब्दो के हर जाल से मन और उलझा।

कौन सा में गीत गाउ।

भीड़ में भी क्यों अकेलापन नही जाता

बड़ी सिद्दत से हर इक शख्स को

हम याद करते हैं।

न जाने भीड़ में भी क्यों

अकेलापन नही जाता।

में जिसको सोचता हूं,

याद भी नही आज में उसको।

न जाने क्यों ये गुज़रे वक्त का

साया नही जाता।

पता होता अगर रह जाऊं गा

तन्हा में राहों मे।

फासला मंज़िलो का

तय में करने को नही जाता।

मुकद्दर ने जो बांटे है,

वो रंजो गम है सब मंज़ूर।

अगर बस तू मुझे मिलता,

अगर बस तू नही जाता।

आज की रात भी बस यूं ही गुजर जाएगी

आज की रात भी, बस यूं ही गुजर जाएगी
न तो तुम आओगे, और नींद भी न आएगी

हम भला किससे कहेंगे ये अपना हाले- बयां
मरहम न देगी दुनिया, नमक ही लगाएगी

आज की रात भी, बस यूं ही गुजर जाएगी
वो गली, कूचे, वो मंदिर, वो बाग और वो पहाड़

वो रात एक, तेरे संग जो गुजारी थी
वो एक रास्ता मेरे घर से तेरे घर तक था

वो गलती इक जो मेरे दिल पे अब तक भारी थी
बड़ी मुद्दत से कोशिश भूलने की करता हूं

दिल से तेरी याद, बाद मरने के ही जाएगी
आज की रात भी, बस यूं ही गुजर जाएगी
न तो तुम आओगे, और नींद भी न आएगी

हर एक सुबह जब आती है

हर एक सुबह जब आती है!
एक नई कहानी कहती है!
कहती है रात जो बीत गई
सपनो की मटकी रीत गई

यादों की पुरवा साथ लिए
इक किरण गगन पर छाती है
हर एक सुबह जब आती है
कुछ आंसू मोती बन बैठे
उन लम्हों को जब याद किया

कु छ दोस्त फरेबी हो बैठे
जब कालदंड ने वार किया

फिर भूले- बिसरे लम्हों पर
इक याद की बदली छाती है
हर एक सुबह जब आती है

न हर्ष है न शोक है

न हर्ष है, न शोक है

ये दृश्य इक संयोग है

हैं मुझे आंसू बहाने के लिए

बातें कई

और सिर दीवार से

टकराने की रातें कई

कुछ अगर न हासिले दिल

मिल सका तो क्या करू

कुछ न आया काम अपना

हौसला तो क्या करू

अभी रोने की नहीं फुरसत मुझे,

है काम बाकी

अभी तो बस कु छ ही गुज़रे हैं,

कई इम्तहान बाकी

अश्क अपनी आंख में तारों से तो

कुछ कम नहीं

अधर पे मुस्कान अपने फूलों से कुछ कम नहीं

वो शराब जिसके थे प्यासे, हम कई सदियों से

गैर में ढूंढी बहुत, मिल न सकी कतरा भी।
वो शराब जिसके थे प्यासे, हम कई सदियों से।।

कभी इसमें, कभी उसमे, कभी तुझमें ढूंढा।
न मिला प्यार जिसको तरसे कई सदियों से।।

न बहला दिल, न दिलासा, न मिला गम का इलाज।
वो नमक रखता है ज़ख्मों पे, कई सदियों से।।

दिल में होली जल रही है

न गम न खुशी,

सब जल के राख़ होती रही!

दिल में होली जल रही है!!

रात भर हर आरज़ू ख़ाक होती रही!

दिल में होली जल रही है!!

बुझा- बुझा सा में, भड़कता रहा लपटों की तरह!

दिल में होली जल रही है!!

धुआं- धुआं सा मेरी आंख को रुलाता रहा!

दिल में होली जल रही है!!

धधकती है तेरी याद सीने में अंगारों सी!

दिल में होली जल रही है!!

आजकल तेरी यादों का

आजकल तेरी यादों का

मौसम छाया सा रहता है

तू मुझसे दूर – दूर है लेकिन

दिल में समाया रहता है

आजकल तेरी यादों का

अफसोस करूं उन बातों का

फिर भी लौटेगा वक्त नहीं

पर तू तो आ सकता है न

अरे तू तो कोई वक्त नहीं

में लाख बुझाना चाहूं पर

तू दिल सुलगाता रहता है

आजकल तेरी यादों का

पछताऊँ गुनाहों पर अपने

पर तुम तो हमें भुला बैठे

फिर कोई सजा मुझको देने

तू काश कहीं से आ बैठे

मेरे साथ नहीं अब कोई यहां

इक खौफ का साया रहता है

आजकल तेरी यादों का

चूक न जायें, सवेरा देखने से वो

चूक न जायें, सवेरा देखने से वो।
हमनें नींद से जगाया, तो नाराज़ हो गए।

रहते थे कुछ उदास वो, मंज़िल से बेखबर।
हमने रास्ता सुझाया, तो नाराज़ हो गए।

खुद से थे बेखबर, की जैसे शोला बुझा बुझा।
हमने राख़ को हटाया, तो नाराज़ हो गए।

सच सुनने की आदत नहीं, किसी को यहाँ दोस्त।
आईना जो दिखाया, तो नाराज़ हो गए।

ज़ुबाँ पे अपने सच है, हाथों में है मशाल।
आँखों में अपनी स्वप्न के आगाज़ हो गए।

यूं तो आने की तुम्हारे पहले से सुगबुगाहट थी

यूं तो आने की तुम्हारे
पहले से सुगबुगाहट थी

खटखटाया नहीं था दरवाज़ा,
फिर भी तुम्हारे पैरों की मेरे घर आहट थी

मुझे मालूम है तुमसे मेरा
जन्मों का है नाता

जब भी बिछड़े की हर एक बार
मिलाता है विधाता

हर गम की दवा है तू,
मेरे हर ज़ख्म का मरहम

सब था पास मेरे
बस तेरी एक चाहत थी

यूं तो आने की तुम्हारे,
पहले से सुगबुगाहट थी

में देखूं तुझे और कभी
सहलाऊ तुझे में

सब कम है तेरे आगे,

क्या लाऊँ तुझे में

दौलत मेरी, शोहरत मेरी

दुनिया तू मेरी है

खुद खुदा ने जो बख्शी

तू वो आयत थी

यूं तो आने की तुम्हारे

पहले से सुगबुगाहट थी

तेरे होंठों की लाली से

तेरे होंठों की लाली से

सुबह मेरी खिल जाती है

तेरी बाली की खनखन

मुझे मीठे गीत सुनती है

तेरी मंद हंसी पर में

सब भूल कहीं खो जाता हूँ

तेरे मदमस्त नयन देखूँ

तो सपनों में खो जाता हूँ

तेरी चाल की मस्ती है

या फिर सागर की लहरें हैं

तेरा ऊँचा भाल हे या

मैं अम्बर को सहलाता हूँ

तेरी मीठी बोली है या

मस्त हवा की सरगम है

तेरी नरम हथेली से में

क्यूँ ठंडक पा जाता हूँ

तू मेरा बस प्यार नहीं

तू मेरी रगों में बहती है

हर एक लहू की बून्द पे मैं

बस नाम तुम्हारा पता हूँ

कब तलक देश रोता बैठे निर्णय करना होगा

अब लहू बहे या कटे ये सर
चाहे कदम-कदम पर हों विषधर
अब बलिदानों की वेदी पर
तुमको चढ़ना होगा
कब तलक देश रोता बैठे
निर्णय करना होगा

अब पात्र नहीं मधुशाला के
लहू के प्याले पीने होंगे
अब तज चितवन की नेह नज़र
विष कालकूट पीने होंगे
अब कटे मिटे या जाएँ बिखर
ये प्राण रहें या हों नश्वर
अब दुश्मन की छाती पर
फिर से चढ़ना होगा
कब तलक देश रोता बैठे
निर्णय करना होगा

कब तक आँखों के शोलों को
आँसू कहकर करे नयन तरल
कब तक सांसों की ज्वाला को

आँहें भरकर रहें दुखी विकल
अब शाँति नहीं हुंकारों का
सिंह गर्जन करना होगा
कब तलक देश रोता बैठे
निर्णय करना होगा

कब तक दुष्टों का दुराचार ही
स्वागत का आधार बने
भ्रष्टाचारी व्यभिचारी आखिर
क्यों अपना सरदार बने
जब तक दुर्जन की मुण्डमाल से
मातृभूमि न हो शोभित
तब तक रणभूमि में वीरो
तुमको लड़ना होगा
कब तलक देश रोता बैठे
निर्णय करना होगा

www.ingramcontent.com/pod-product-compliance
Lightning Source LLC
LaVergne TN
LVHW050419160726
843469LV00041B/1150